여기 저기 써먹는 일상 한국어

머리말

책 소개

한국의 가치가 높아지면서, 한국어를 배우고자 하는 이들이 많아지고 있습니다. 가천대학교에도 많은 외국인 유학생이 재학 중입니다. 저희는 다양한 외국인 유학생과의 만남을 통해, 그들의 현실에 직면하게 되었습니다. 바로 '반말과 존댓말 구분의 어려움', '대학생을 기준으로 한 현실적인 회화서의 부재', '한국어로만 이뤄진 설명으로 인한 이해력 저하' 등의 문제를 포착하였습니다.

이에, '너울이랑'은 또래 친구와 나눌 수 있는 가벼운 주제의 회화서를 통해, '소통의 기회'를 만들어 보고자 합니다. 요즘, 20대 대학생의 대화 패턴 분석을 통해 <여기저기 써먹는 일상 한국어>를 제작했습니다. 대학생들이 자주 사용하는 단어와 현실적인 대화문을 통해, 단어를 학습하고 맥락을 이해할 수 있도록 기획하였습니다. 장소와 상황별로 3개의 대주제를 나누고 20개의 소주제에 맞는 대화문을 만들어 보았습니다. 구어적인 표현이나, 대학생들끼리 사용하는 단어를 뽑아내어 제작한 '현실적인 공감 회화서'. 더불어, 한국 문화에 대해 알 수 있는 다양한 '꿀팁'까지 알차게 담아냈습니다. 유학생의 관점에서 고민하고 만들어낸 그 인고의 시간과 노력이 여러분께 닿길 바랍니다. 한국에서 여러분의 대학 생활이 20대의 그 어느 순간보다 찬란히 빛나길 바라며,

'너울이랑' 올림

삽화 디자인에 참여해주신 박서연, 박초희 학우분께 감사합니다.

[여기저기 써먹는 비법 공개!]

이야기 훑어보기
귀여운 그림과 함께 한국 대학생들이
자주 사용하는 표현을 익혀 보세요!

에피소드 미리 보기
대화문의 핵심 문장을 미리 살펴보세요!

확장문 읽어보기

대화문에서 확장된 표현을 통해, 한국 대학생들이 실제로 사용하는 문장을 익혀 보세요!

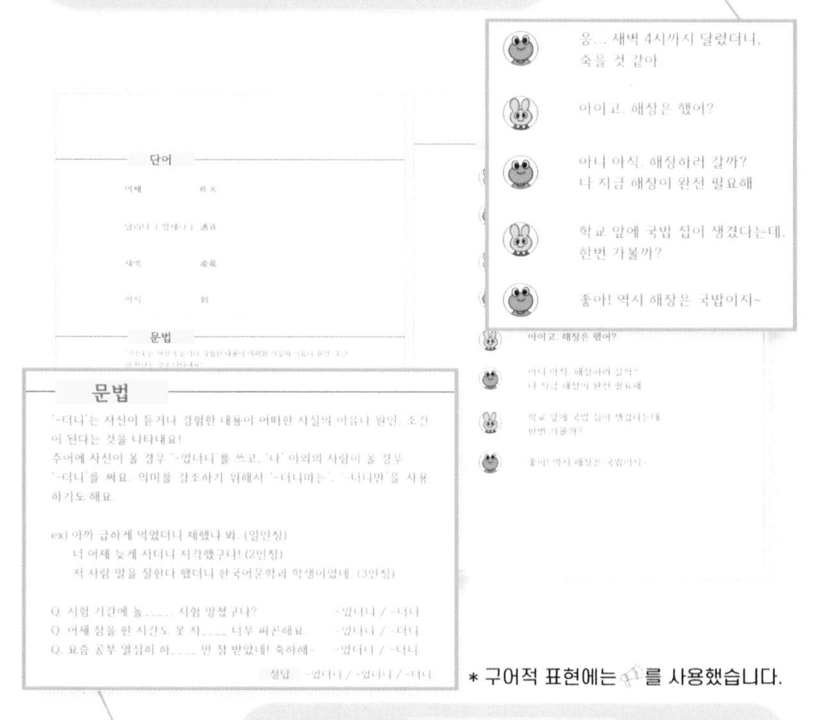

* 구어적 표현에는 를 사용했습니다.

중요한 문법 표현

대화문 속에 있는 문법을 공부하고, 문법을 활용해 주어진 빈칸을 채워보세요!

생활에 적용하기
구리와 토리의 대화를 통해
앞서 배운 내용을 적용해 보세요!

문화 꿀팁 읽기
문화 꿀팁 속 한국 문화를 통해
재밌는 한국에 퐁당! 빠져 보세요!

체크 박스 활용하기

아직 외우지 못한 단어에는
체크 표시를 해 두고 복습해 보세요!

단어

□	모든	都	□	벌써	已经
□	모레	后天	□	병	瓶
□	모르다	不知道	□	보내다	发给
□	무뚝뚝하다	冷冰冰	□	보내다	[illegible]
□	무모하다	[illegible] / 冲动冒昧	□	보이다	看起来
□	무조건	无条件	□	복전	[illegible]
□	뭐 했어?	做什么了?	□	부담스럽다	[illegible]
□	뭐?	什么?	□	부러우면 지는 거다	[illegible]
□	뭐야?	是什么?	□	부럽다	羡慕

한 눈에 보는 단어 부록

사전에 검색할 필요가 없는 깔끔한 단어 정리!
대화문과 확장문에 있는 모든 단어를 담았어요.

목차

학교 편

친구 편

가게 편

EP
01

몇 학번이세요?

你是几届的？

이야기 01

혹시 몇 학번이세요?

请问你是几届的？

저는 17학번이에요.

我是17届的。

단어

혹시 请问

몇 几

학번 学号（届）

문법

이에요

'이에요'는 '이다'와 '에요'가 만나서 만들어진 단어예요. 명사에 받침이 있으면, '이에요'! 받침이 없으면 '예요'를 사용해요! '이에요'의 반대말은 '아니에요'라고 해요.

ex) 혹시 중국 사람이에요?
이 사람은 저의 친한 친구예요.
저 가방은 제 것이 아니에요.

Q. 몇 살 (**이에요 / 예요**)?
Q. 한국어문학과 강의실이 어디 (**이에요 / 예요**)?
Q. 제가 좋아하는 가수는 BTS (**이에요 / 예요**).
Q. 그 책은 제 것이 (**이에요 / 아니에요**).

정답 이에요, 예요, 예요, 아니에요

확장문

혹시 몇 학번이세요?

저는 17학번이에요.

헉, **선배님**! 저는 21학번이에요.
말 편하게 해주세요.

그래. 너도 편하게 해.
근데 21학번이면, 3학년이야?

아니요, **휴학하고** 와서 아직 2학년이에요.

아~ 휴학하면서 **뭐 했어?**

친구들이랑 **여기저기 여행 다녔어요**.

재밌었겠다.

단어

선배님	前辈（学长）
말(을) 편하게 하다	别客气，不要客气
근데	可是
뭐 했어?	做什么了?
친구	朋友
여기저기	到处
여행 다니다 (= 여행하다)	旅行

Q. 나는 14학번이야. 말 편하게 해!

A. "말 편하게 해!" 라는 말을 들으면 어떤 느낌이 들어?
한국에서는 학번을 통해서 위계질서를 확인하고, 보통 선배가 후배에게 말을 편하게 하라는 말을 자주 해. 말을 편하게 한다는 것은 몸이 편한 채로 말을 한다는 것이 아니라, 반말로 말을 해도 된다는 것을 의미해! 만약 선배나 후배에게 그런 말을 들었다면, 말을 편하게 해서 더욱 가까워진 관계가 되기를 바랄게!

응용문

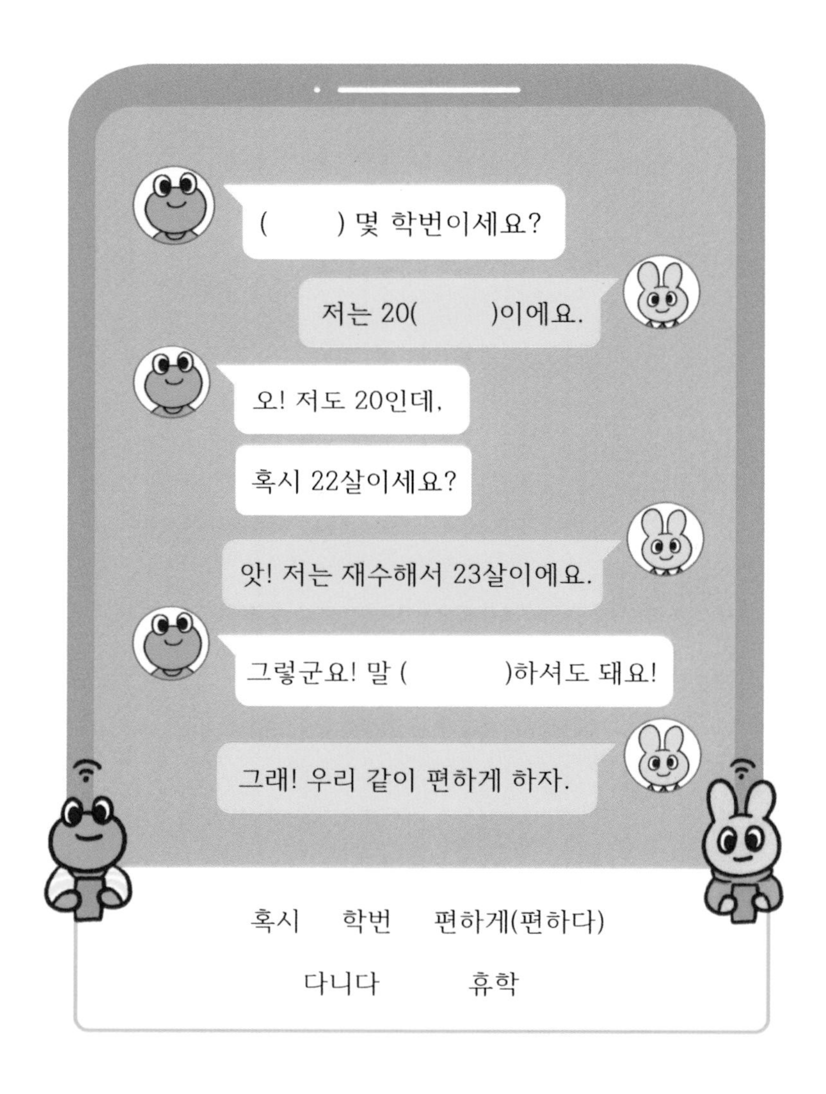

정답 편하게, 학번, 혹시

EP 02

여기 자리 있어요?

这里有位子吗？

이야기 02

저기요, 여기 자리 있어요?

喂！这里有位子吗？

네. 제 친구 자리예요.

有。这是我朋友的位子。

단어

혹시 请问

몇 几

학번 学号（届）

문법

이에요

'이에요'는 '이다'와 '에요'가 만나서 만들어진 단어예요. 명사에 받침이 있으면, '이에요'! 받침이 없으면 '예요'를 사용해요! '이에요'의 반대말은 '아니에요'라고 해요.

ex) 혹시 중국 사람이에요?
이 사람은 저의 친한 친구예요.
저 가방은 제 것이 아니에요.

Q. 몇 살 (**이에요 / 예요**)?
Q. 한국어문학과 강의실이 어디 (**이에요 / 예요**)?
Q. 제가 좋아하는 가수는 BTS (**이에요 / 예요**).
Q. 그 책은 제 것이 (**이에요 / 아니에요**).

정답 이에요, 예요, 예요, 아니에요

확장문

여기 자리 있어요?

네. 제 친구 자리예요.

죄송합니다.
가방이 없길래 **비어** 있는 줄 알았어요.

아니에요. 제 **오른쪽**에는 앉으셔도 돼요.

감사합니다.
늦게 왔더니 빈 자리가 많이 없네요.

그러게요, 오늘 첫 날이라서 그런 것 같아요.

이 **과목 어렵다**고 해서 걱정이에요.

같이 **힘내봐요**, **과탑** 한 번 찍어야죠!

단어

가방	书包
비다	空（位）
오른쪽	右边
늦다	来晚
과목	这门课
어렵다	难
힘내다	加油
과탑	院系第一（名）

꿀팁

Q. 자리가 있는 거야, 없는 거야 ;;

A. 보통은 자리가 있는지 없는지 물어볼 때, "여기 자리 있어요?"라고 물어봐. 이는 내가 앉을 수 있는지의 의미도 가능하고, 누군가 자리를 차지하고 있는지를 물어보는 의미도 가능해서 헷갈릴 수 있어. "자리 있어요."라는 말은 중의적인 의미를 담고 있다는 거 명심해!

응용문

정답 도착했어, 강의실, 자리

EP
03

공강이 언제야?

什么时候没有课？

이야기 03

너 **공강**이 **언제**야?

什么时候没有课？

나 이번에 **수강 신청 성공**해서,
금공강이야.

我这次选课成功了，
星期五就没有课了。

단어

공강　　没有课 (= 没有空)

언제　　什么时候

수강 신청　　选课 (= 听课申请)

성공　　成功

문법

-하여서

'-해서'는 '-하여서'가 줄어든 말이에요! '하여서'는 '하다'와 '-여서'가 합쳐진 것이에요. '하다'가 아닌 동사와 형용사들은 '-아/어서'를 쓴답니다. '-아/어서'는 앞에 오는 동사나 형용사의 모음에 따라 형태가 달라져요. 'ㅏ/ㅗ'인 모음이 오면 '-아서'를 사용하고, 'ㅏ/ㅗ'가 아닌 모음이 오면 '어서'를 사용해요. '하여서'의 앞의 내용은 이유를, 뒤의 내용은 결과를 나타내요. 평소 '-하여서'보다는 '-해서'를 더 자주 사용한답니다!
비슷한 표현으로, 친구와 대화할 때는 '-어 가지고/구'라는 표현을 많이 사용해요!

ex) 그 선배를 좋아해서 고백했어.　과제가 너무 많아가지구 밤새웠어.

Q. 어제 개강 (**해서 / 했어**) 너무 피곤 (**해서 / 했어**).
Q. 너무 뚱뚱 (**해서 / 했어**) 다이어트 (**해서 / 했어**).

정답　해서, 했어, 해서, 했어

확장문

구리야, 너 공강이 언제야?

나 이번 학기 수강 신청 성공해서,
금공강이야!

너무 **부럽다**.
나는 수강 신청 **실패**해서 공강이 없어.

그럼 매일 학교 나와야 해?

맞아!
학교 **온 김에** 뭐라도 하고 싶은데,
어떤 걸 할지 **고민이야**.

그럼,
우리 사진 동아리에 들어오는 건 어때?

혹시 사진 잘 못 찍어도 들어갈 수 있어?

당연하지! 수업 끝나고 **남은** 시간에 같이
활동하면 재밌을 것 같아!

단어

부럽다	羡慕
실패	失败
~하(가)는 김에	顺便，趁
고민이다	苦恼
동아리	社团
당연하지	当然
(시간이) 남다	有空的时候
활동하다	活动

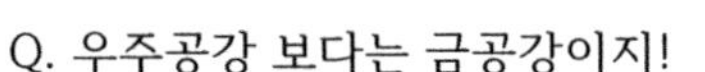
Q. 우주공강 보다는 금공강이지!

A. 우주공강은 수업과 수업 사이에 비어있는 “거대한 우주” 같은 시간을 의미해! 또 다른 의미는 요일 자체가 비어있는 공강이야. 학생들은 보통 휴일을 연장할 수 있는 월공강이나 금공강을 선호하는 편이야!:)

응용문

정답 공강, 고민이야, 당연하지

EP 04

이번 학기에 팀플 있어?

你这个学期的课中有小组活动的吗？

이야기 04

너 이번 **학기**에 **팀플** 있어?

你这个学期的课中有小组活动的吗？

나 **모든 수업**에 팀플이 있어.

我这个学期的课都有小组活动。

단어

학기 学期

팀플 小组活动

모든 都

수업 课

문법

-(으)ㄹ 줄 알다/모르다

'-(으)ㄹ 줄 알다/모르다'는 어떤 일을 하는 방법에 대해 알고 있거나, 모르고 있을 때 사용해요! 앞에 오는 동사나 형용사의 받침이 있으면, '-을 줄 알다/모르다'! 받침이 없으면 '-ㄹ 줄 알다/모르다'라고 써요!

* 비슷한 단어로는 '-을 수 있다/없다'가 있어요. 타고난 능력이나 배워서 익힌 능력 등 다양한 상황에서 사용하는 단어예요!

ex) 역시 너는 공부를 잘할 줄 알았어!
시험 문제를 다섯 개나 틀릴 줄 몰랐어.

Q. 네가 이번에 실수를 많이 해서 선생님께 혼날 줄 (**알았어 / 몰랐어**).
Q. 자연이는 나이가 어린 줄 알았는데, 22살이나 된 줄 (**알았어 / 몰랐어**).

정답 알았어, 몰랐어

확장문

나 이번에 팀플 몇 **개**인 줄 알아?
무려 3개야!

뭐 그 정도 가지고 그러냐.
난 모든 수업이 팀플이라고...

엥? 너 이번에 팀플 있었어?

나 진짜 **하루 종일** 팀플 회의만 하고 있어.

무슨 그런 **무모한 짓**을 한 거야.

나는 내가 할 수 있을 줄 알았지...
나를 너무 **과대평가**했나 봐.

앞으로 수강 신청할 때,
조금 더 **신중해야** 할 것 같아!

나도 이번에 **교훈**을 얻었다...
좋은 **경험**이 될 거라 믿어.

단어

~개	个
하루 종일	整天
무모하다	干嘛 / 冲动冒昧
~짓	这个学期
과대평가	评价过高
신중하다	慎重
교훈	教训
경험	经验

꿀팁

Q. 팀플 빌런(악마)가 되고 싶지 않다면?

A. 팀플은 "팀 프로젝트"의 줄인 말로, 혼자가 아닌 팀으로 여러 명이 함께 과제를 하는 것을 의미해. 한국 대학생들은 팀플을 사회의 악으로 생각하는데, 곳곳에 팀플 빌런이 숨어 있기 때문이야! 우리 모두 팀플 빌런이 되고 싶지 않다면, 서로를 위해서 조금 더 노력하는 모습이 필요해!

응용문

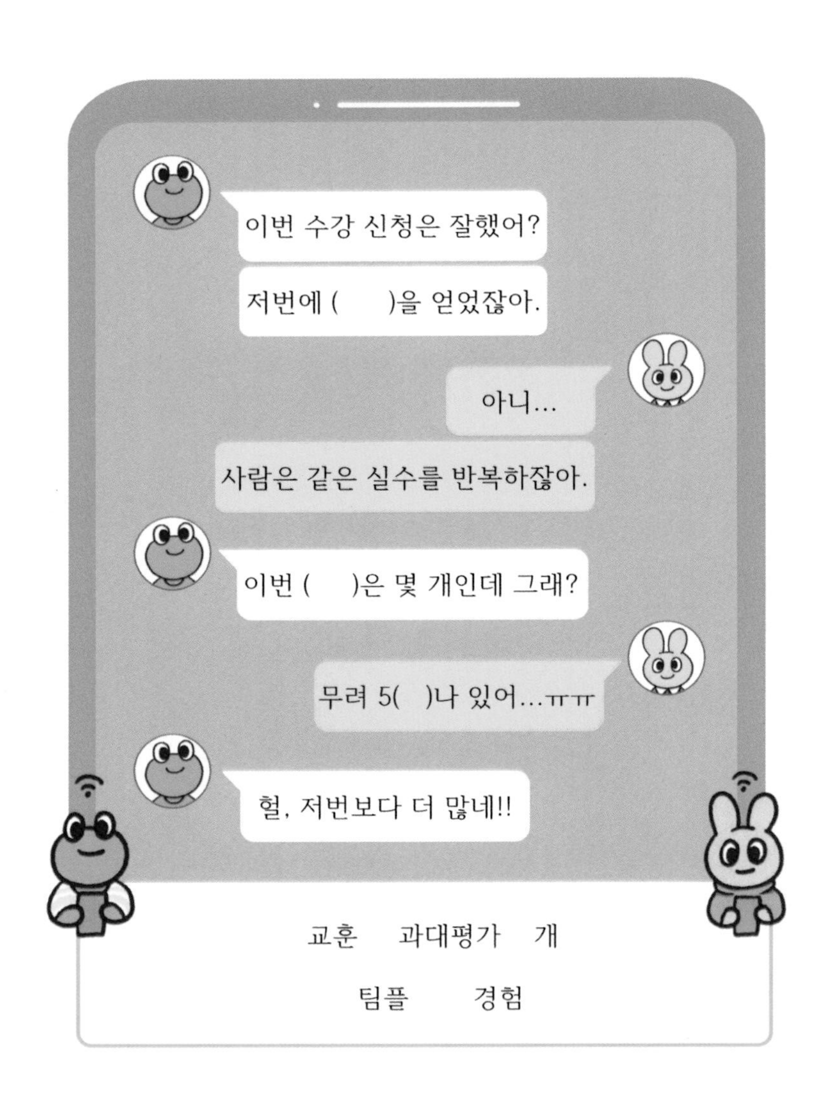

이번 수강 신청은 잘했어?
저번에 (   )을 얻었잖아.
아니...
사람은 같은 실수를 반복하잖아.
이번 (   )은 몇 개인데 그래?
무려 5(   )나 있어...ㅠㅠ
헐, 저번보다 더 많네!!
교훈 과대평가 개
팀플 경험

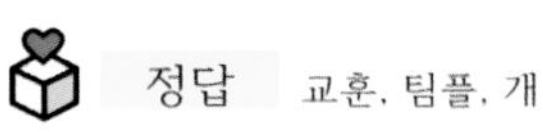

정답 교훈, 팀플, 개

EP
05

내년에 같이 재수강하자!

明年我们一起再修讲吧!

이야기 05

이번 기말시험 점수 진짜
처참하다. 어떡하지?

这次期末考试的成绩重修。

나도 **마찬가지**야.
내년에 같이 **재수강**하자!

我也是啊。 明年我们一起再修讲吧!

단어

처참하다 惨

마찬가지 一样

재수강 重修

문법

어떡하지 vs *어떻하지

'어떡하다'는 '어떠하게 하다'가 줄어든 말이에요. 가끔 '어떻하다'라고 쓰는 경우가 있는데, 이것은 틀린 맞춤법이에요! '어떻다'는 '어떠하다'가 줄어든 말이에요. 먼저, '어떠하다'와 '-게 하다'가 만나 '어떠하게 하다'가 만들어지고! '어떠하게 하다'가 '어떡하다'로 줄어든 것이죠!

어떻다 → 어떠하다
↳ [어떠하다 + -게 하다] 어떠하게 하다 → 어떡하다

*** 자주 헷갈리는 '어떻게 vs 어떡해'**
'어떻게'는 '부사'이고, '어떡해'는 '형용사'에요! '어떻게'는 뒤에 오는 단어를 꾸며줄 수 있고, '어떡해'는 꾸며줄 수 없어요!

Q. 내 과자를 먹으면 (**어떻게 / 어떡해**)!
Q. 오랜만이다. (**어떻게 / 어떡해**) 지내?
Q. 이렇게 늦으면 (**어떻게 / 어떡해**)! 1시간이나 기다렸잖아.

정답 어떡해, 어떻게, 어떡해

확장문

오늘 **시험** 점수 나왔는데, 확인해 봤어?

응. 아까 확인했는데,
점수가 진짜 심각하더라.

그니까.
우리 같이 도서관도 가고,
심지어 밤도 샜잖아.

맞아. 그래서 더 **억울해**.

이 과목 **전필**인데, 재수강해야겠지?

나도 마찬가지야.
내년에 같이 재수강하자!

좋아. 우리 진짜 **한 배를 탔네**!

우리 재수강할 때는 잘해보자!

단어

시험(을 보다)	考试
심각하다	严重
그니까	就是啊
심지어	甚至
억울하다	委屈
전필	必修课
한 배를 타다 (= 같은 입장이 되다)	上了同一条船

꿀팁

Q. 졸업을 하려면, "전필"이랑 "교필"을 들어야 한다구?

A. 졸업을 하기 위해서 필수적으로 들어야 할 과목이 있다는 것, 알고 있어? 전필, 교필은 대학 생활에서 자주 사용하는 단어들이야!! 전필은 '전공필수', 교필은 '교양 필수'의 줄임말로, 이 두 과목 모두 졸업을 하기 위해서는 필수적으로 들어야만 하는 과목들이지. 만약 필수가 들어간 과목을 수강하지 않는다면, 학점을 다 채웠음에도 불구하고 졸업이 안 될 수도 있어! 본인이 채워야 하는 졸업 요건에서 필수적으로 들어야 하는 전필과 교필을 꼭 기억하고 수강 신청에 성공해서 성공적으로 졸업하기를 응원할게 :)

응용문

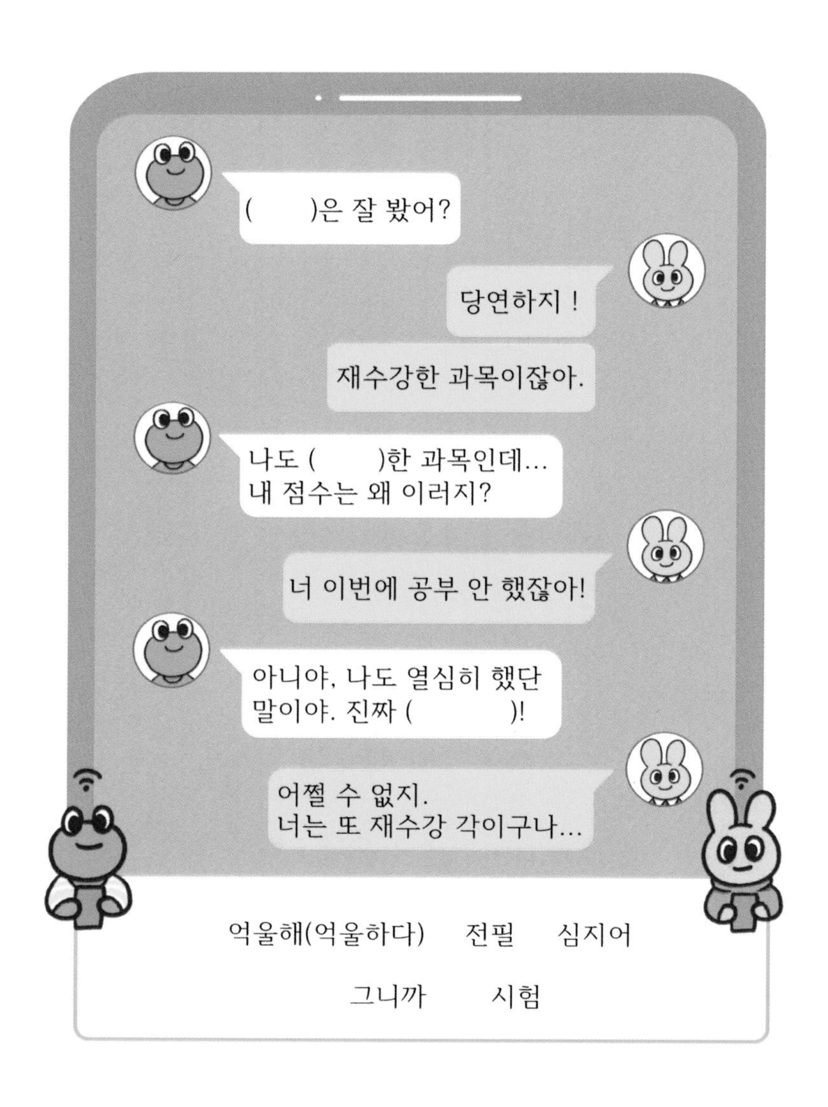

 정답 시험, 재수강, 억울해

EP
06

내일 휴강이래!

据说明天停课！

이야기 06

구리야, **공지사항** 봤어?
내일 휴강이래!

看到公告事项了吗？
剧说明天要停课了！

정말? 내일 수업 없대?

真的吗？明天没有课吗？

단어

공지사항 公告

내일 明天

휴강 停课

문법

-은/는대(요)

'-은/는대(요)'는 '-는다고 해(요)'가 줄어든 말이에요! 앞에 오는 동사의 받침이 있으면, '-는대(요)'! 받침이 없으면 '-ㄴ대(요)'를 사용해요. 앞에 형용사가 오면 '-대(요)'를 사용해야 해요! 다른 사람에게 들은 말을 전할 때도 쓰고, 자신이 들은 내용에 관해 물어볼 때도 써요.

ex) (전달할 때) 현진이가 고양이를 두 마리나 키운대.
(물어볼 때) 그림을 그리기가 싫대?

-는대 vs -데/-더라

'-데/-더라'는 스스로 경험해서 알게 된 내용을 전할 때 사용해요!

Q. 그 집 떡볶이가 진짜 맛있 (**대 / 데**).
↳ 맞아, 얼마 전에 먹었는데 진짜 맛있더라!
Q. 어제 내가 만든 떡볶이가 진짜 맛있 (**대 / 데**).
↳ 진짜? 맛있었겠다. 나도 만들어줘!

정답 대, 데

확장문

아까 공지 사항 봤어?
내일 휴강이래!

그럼, 내일 수업 없대?

응! 교수님 **출장** 가신대!

앗싸!
나 그럼 내일 수업 하나도 없다!

마침 나도 수업 없는데,
우리 놀러 갈까?

너무 좋지!
평소에 가고 싶은 곳 있었어?

나 경복궁 가보고 싶었어!

오 좋다!
경복궁 가서 한복 **입고 놀자**!

단어

아까	刚才
출장	出差
앗싸	哇！
마침	正好
평소	平时
입다	穿
놀다	玩

꿀팁

Q. 경복궁에 한복을 입고 가면...!

A. 경복궁에 한복을 입고 가면, 입장료가 무료라는 사실을 알고 있어?!?! 매월 마지막 주 수요일에 방문하거나, 한복을 입은 사람은 경복궁을 무료로 관람할 수 있어! 경복궁은 특히나 외국인들이 많이 찾는 관광지 중 하나인데, 한복을 대여할 수 있는 곳도 많아서 한복을 입고 오는 외국인도 많이 볼 수 있어. 만약 한국의 역사가 담긴 궁궐에 한국의 전통 의상인 한복을 입고 가면 얼마나 아름다울지 궁금하다면! 무료로 한국의 궁궐을 감상할 수 있는 좋은 기회를 꼭 누려보면 좋을 것 같아!

응용문

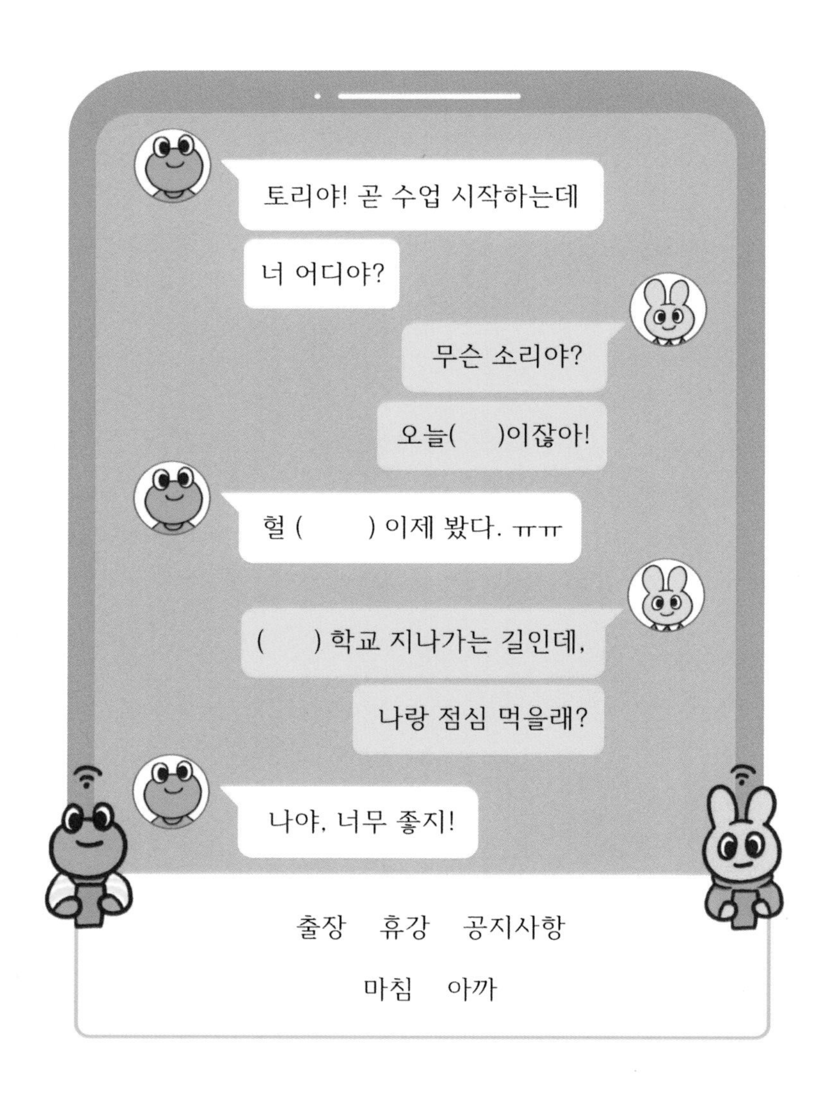

 정답 휴강, 공지사항, 마침

EP 07

단톡에 보내줄게.

在群聊里发给你。

이야기 07

9시까지 **발표 대본 보내줄래**?

你能在晚上9点之前把发表剧本发给我吗？

응. **단톡**에 보내줄게.

好的。在群聊里发给你。

단어

발표 发表

대본 剧本

~에게 보내다 发给

단톡 群聊

문법

-을래(요)

'-을래(요)'는 자기 생각을 말하거나, 다른 사람의 생각을 물어볼 때 사용해요! 앞에 오는 동사나 형용사의 받침이 있으면, '-을래(요)'! 받침이 없으면 '-ㄹ래(요)'라고 써요. 듣는 사람이 자신보다 나이가 많을 경우, '-을래요'가 아닌 '-(으)시겠습니까'라고 말해야 해요! 단, 자신보다 나이가 많지만 친한 사이라면 사용해도 좋아요!

Q. 고객님, 어떤 걸 주문하 (**ㄹ래(요) / 시겠습니까**)?
Q. 우리 점심 뭐 먹 (**을래(요) / (으)시겠습니까**)?
Q. 선배! 저희랑 같이 놀러 가 (**ㄹ래(요) / 시겠습니까**)?

정답 시겠습니까, 을래요, ㄹ래(요)

확장문

PPT는 교수님 메일로 보냈어.
내일 발표만 하면 팀플도 끝이다!

고생했어. 자료 조사도 꼼꼼히 해서
높은 점수 받을 수 있을 것 같아.

응. 역할 **분담**해서 하니까 빨리 끝낼 수
있었어.

열심히 준비했는데,
내일 발표를 **망칠까봐 걱정이야**.

너무 **긴장하지** 마. 발표 대본은 다 썼어?

아니, 쓰고 있어. 오늘 저녁에 보고 **수정할
부분 알려줄** 수 있어?

당연하지. 저녁 9시까지 보내줄래?

응. 단톡에 보내줄게.

단어

분담	分担
망치다	弄坏, 搞坏
걱정하다	担心
긴장하다	紧张
수정하다	修改
부분	部分
알려주다	告诉

Q. 카톡? 단톡? 뭐가 다른 거야!

A. 카톡은 알겠는데, 단톡은 도대체 뭔지 궁금했다면, 쉽게 알려줄게!
카카오톡의 줄임말인 카톡은 한국에서 주로 쓰이는 소통 서비스야. 단톡은 '단체 카카오톡 방'의 줄임말로, 나 포함 3명 이상이 모여 있는 채팅방을 나타내는 말이지. 단어가 비슷해서 헷갈릴 수는 있지만, 단톡은 대학 생활에서뿐만 아니라 단체 생활이라면! 자주 쓰이는 용어이니 알아두는 것이 좋을 것 같아 :)

응용문

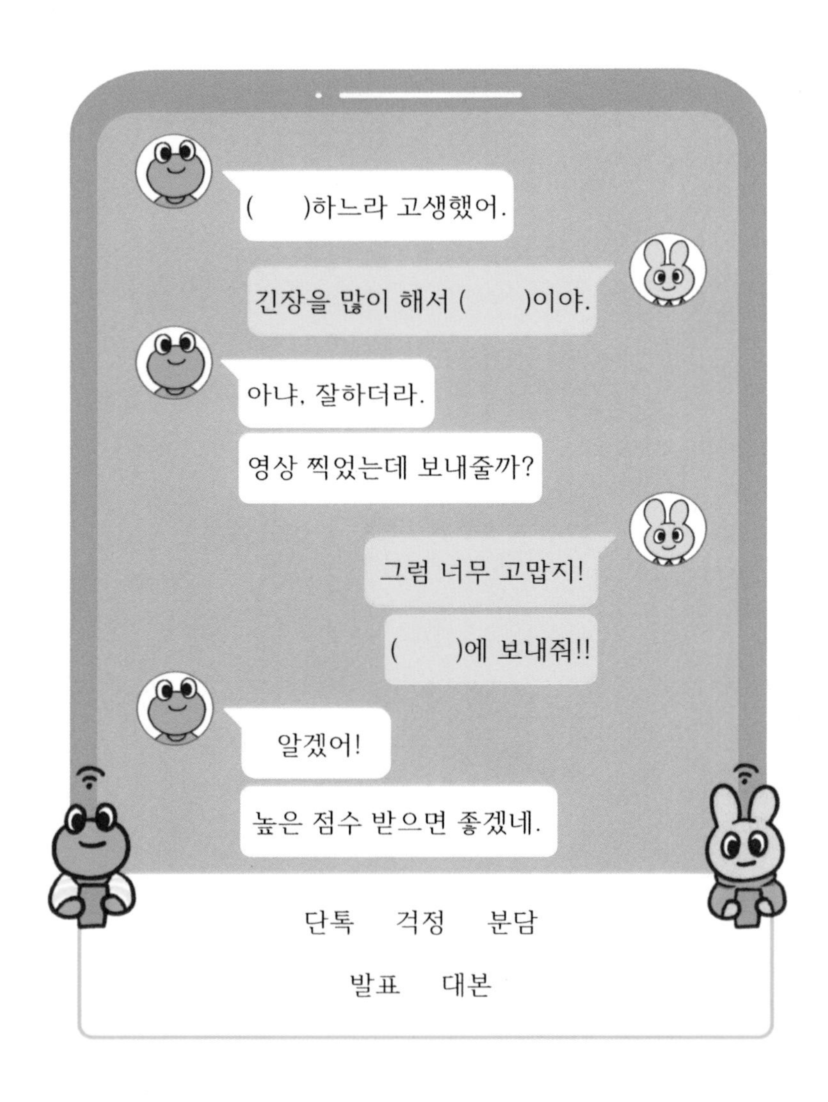

(　　)하느라 고생했어.
긴장을 많이 해서 (　　)이야.
아냐, 잘하더라.
영상 찍었는데 보내줄까?
그럼 너무 고맙지!
(　　)에 보내줘!!
알겠어!
높은 점수 받으면 좋겠네.
단톡 걱정 분담
발표 대본

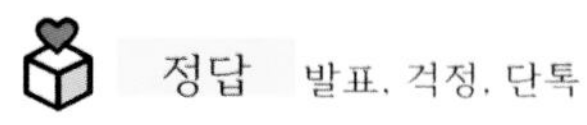

정답 발표, 걱정, 단톡

EP
08

통학하는 데 얼마나 걸려?

你上学需要多长时间？

이야기 08

혹시 **통학**하는 데 **얼마나 걸려**?

你上学需要多长时间？

지하철로 1시간 40분이나 걸려!

坐地铁需要1小时40分钟左右。

단어

통학 上学

얼마나 多长

걸리다 需要

문법

-(이)나

-(이)나'는 어떤 것의 수량이나 정도가 스스로 기대하고 생각한 것보다 많은 것을 나타내요. 앞에 오는 단어의 받침이 있으면, '-(이)나'! 받침이 없으면, '-나'를 사용해요! 스스로 기대하고 생각한 것보다 그 양이 적을 때는 반대말인 '-밖에'를 사용해요.

ex) 내일이 시험인데, 일곱 시간이나 자 버렸어. (시간)
강의실에서 연필을 다섯 자루나 주웠대. (개수)
집에서 학교까지 15분밖에 안 걸려. (시간)

Q. 동물원에는 판다가 다섯 마리 (**이나 / 나**) 있다.
Q. 가게에서 옷을 여섯 벌 (**이나 / 나**) 샀어?
Q. 책을 아직 한 장 (**이나 / 밖에**) 못 읽었다.

정답 나, 이나, 밖에

확장문

우리 조별 과제 할 때 어디서 **만날까**?

학교에서 만나는 게 제일 좋을 것 같아.

헐, 완전 **속 보인다**.
너 기숙사 살아서 그렇지?

아니거든! 너도 **금방** 도착하잖아.
너는 통학하는 데 얼마나 걸려?

금방이라니, 나 1시간 40분이나 걸려.
피곤해서 죽을 것 같아.

아 진짜 ? 나는 20분이면 도착하는 줄 알았어.

괜찮아, 그럴 수 있지.
그러면 공평하게 우리의 중간 지점에서 보자.

단어

만나다 (= 보다)	见面
헐	晕
속 보이다	暴露心迹， 脸太厚了
금방	很快就
피곤해서 죽을 것 같다	累死了
그러면	那么
공평하다	公平

꿀팁

Q. 통학러의 힘듦을 알아?

A. '통학'은 대중교통을 이용하여 학교를 다니는 것을 의미해. '통학러'는 대중교통을 이용하여 학교를 다니는 학생을 의미하지. 지하철, 버스 등 이용하는 교통수단의 종류와 교통비, 환승 여부처럼 통학을 하기 위해 필요한 요소에 차이는 있지만, 이동 시간이 많다는 것에서 이미 통학러는 체력을 빼앗기고 학교에 오는 동시에 녹초가 되곤 해!

응용문

 정답 통학, 속 보인다, 헐

EP
09

너 MBTI 유형이 뭐야?

你的MBTI类型是什么？

이야기 09

너 MBTI 유형이 뭐야?

你的MBTI类型是什么?

나는 INFJ야. F는 감성적이래.

我的是INFJ。 F是感性的。

단어

MBTI 유형 MBTI 类型

뭐야? 是什么？

감성적 感性的

문법

-(으)래(요)

'-(으)래(요)'는 '-(으)라고 해(요)'가 줄어든 단어예요. 다른 사람이 하라고 시킨 내(=명령)을 전할 때 사용해요! 앞에 오는 동시에 받침이 있으면, '-(으)래(요)'! 받침이 없으면, '-래(요)'를 사용해요! 하지만 'ㄹ'이 오는 경우, 받침이 없이 사용하는 것과 같이 '-래(요)를 쓴답니다!

ex) 밥 먹고 약을 먹으래.
 이름과 학번을 쓰래.
 아무것도 만지지 말래.

Q. 핸드폰을 가방에 넣 (**으래 / 래**).
Q. 교수님이 과제 언제까지 제출하 (**으래 / 래**)?
↳ 이번 주 금요일까지 내 (**으래 / 래**).

정답 으래, 래, 래

확장문

꺄~ 이 **인형** 엄청 귀여운 것 **같아**.
살까? 어때?

음... 그 인형이 **진짜 필요해?**
굳이 사야 돼?

아니 귀엽잖아! 너, T야?

뭐야, **어떻게** 알았어?

어쩐지...
T의 성격이 **이성적**이고 **무뚝뚝하대**~

아 그래? 너는 MBTI가 뭐야?

나는 INFJ야~ F는 감성적이래.

오 그렇구나~ 나랑 다른 면이 있네!

단어

인형	娃娃
같다 (= ~라고 생각하다)	觉得
진짜 필요해?	真的要吗？，一定要吗？
굳이	非要
어떻게	怎么
어쩐지	怪不得， 难怪
이성적	理性的
무뚝뚝하다	冷冰冰

Q. 한국은 지금 MBTI 열풍?!?

A. 한국에서 MBTI는 그야말로 일상 그 자체라고 할 수 있어. 처음 알게 된 사람에게 말문을 트기 위해 MBTI 유형을 물어보거나, MBTI와 관련된 밈(우울해서 빵 샀어, T발 C야?)이 생성되는 등 여러 상황에서 MBTI를 사용하고 있다고 할 수 있지.

응용문

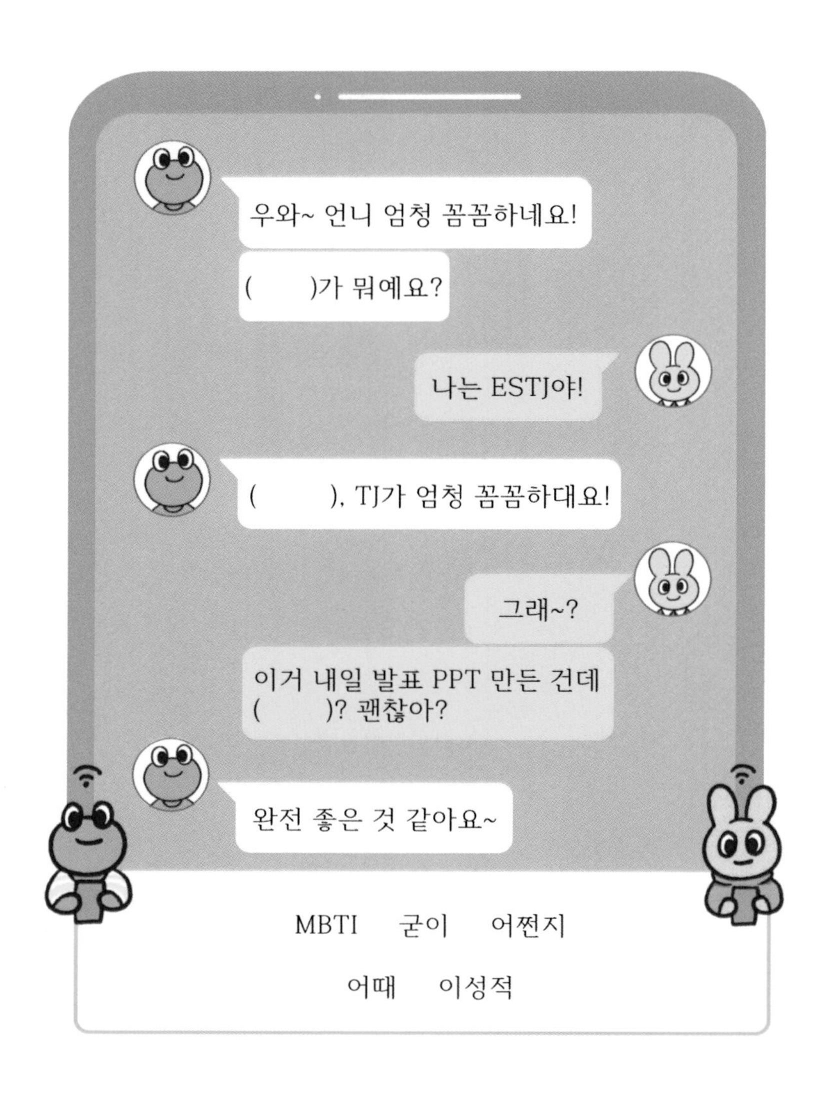
우와~ 언니 엄청 꼼꼼하네요!
(   )가 뭐예요?
나는 ESTJ야!
(   ), TJ가 엄청 꼼꼼하대요!
그래~?
이거 내일 발표 PPT 만든 건데
(   )? 괜찮아?
완전 좋은 것 같아요~
MBTI 굳이 어쩐지
어때 이성적

정답 MBTI, 어쩐지, 어때

EP 10

나 너 좋아해.

我喜欢你。

이야기 10

나, 너 좋아해.

我，喜欢你。

뭐? 우린 친구잖아!

什么？我们是朋友嘛！

단어

좋아하다　　喜欢

뭐?　　什么？

우리　　我们

문법

-잖아(요)

이 이야기에서 '-잖아(요)'는 상대방이 알고 있는 내용에 대해 말하기 위해 사용되었어요! (상대방이 알아야 한다고 생각하는 내용을 알려 줄 때 사용하기도 해요! 특히, 자신이 말한 내용의 근거나 이유에 대해 말할 때 사용해요.) '-잖아(요)'는 동사나 형용사와 함께 써요. 비슷한 단어로는 '-거든(요)'가 있어요. '-거든(요)'는 상대방이 모를 것이라고 짐작한 내용에 대해 말할 때 사용해요. 상대방에게 새롭게 알려주는 것이죠!

ex) 나 술 못 마시잖아. 나는 콜라 마실래. (상대방이 알고 있을 때)
다음 주에 예인 선배 생일이잖아. 어떤 선물이 좋을까?
(상대방이 모르고 있을 때)
현진이 저번 주부터 헬스장 다니거든. 살 뺄 거래.
(상대방이 모르고 있을 때)

Q. 너 몰랐어? 민서는 올해 졸업하 **(잖아 / 거든)**.
Q. 내가 저번에 선배한테 고백했 **(잖아 / 거든)**, 근데 차였어.

정답　잖아. 거든

확장문

요즘 좋아하는 사람이 있는데,
그 사람이 **눈치**를 못 채. 어떡하지?

그럼 **용기내서 고백**해 봐!

나, 너 좋아해.

뭐? 우린 친구잖아!

오늘이 무슨 날이게?

오늘... 4월 1일?
아... 설마!

만우절 **기념 장난** 한 번 쳐봤어!

뭐야, **재미없어**!

단어

요즘	近来 (=最近)
눈치채다 (= 알아차리다)	察觉到
용기를 내다	鼓起勇气
고백	告白
기념	纪念
장난치다	开开玩笑
재미없다	没意思 , 无聊

꿀팁

Q. 만우절은 고백하는 날이 아니야!!

A. 매년 4월 1일은 만우절이야. 장난, 거짓말 등을 통해 재미있게 즐기는 날이지. 그런데, 장난과 거짓말 뒤에 숨어서 본인의 진심을 고백하는 사람이 있어...! 재미도, 감동도 없는 상황이 이어지다가 좋아하는 사람과 멀어지는 경우도 종종 있지. 좋아하는 사람을 잃고 싶지 않다면, 만우절보다는 다른 날에 좋아하는 마음을 전해보는 건 어떨까?

응용문

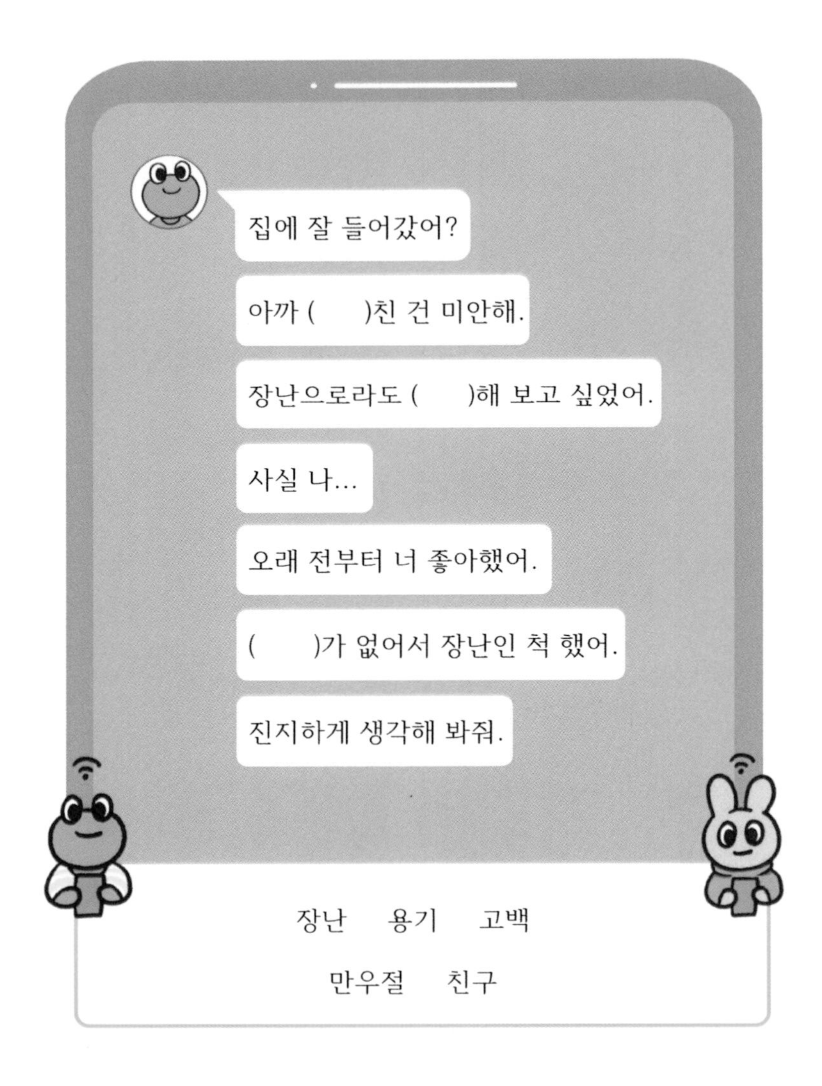

정답 장난, 고백, 용기

EP 11

여자친구랑 며칠 됐어?

跟女朋友几天了?

이야기 11

너 **여자친구**랑 며칠 됐어?

你和女朋友交往几天了？

모레 100일이야.

后天是100天。

단어

여자친구 女朋友

모레 后天

일 天

문법

며칠 vs *몇일

학생들이 자주 헷갈리는 '며칠'과 '몇일'! 날짜를 물을 때, '몇 월'이라 적어 헷갈리기 쉬운데요! '며칠'이 맞는 표현이에요.
한국어는 받침에 'ㄱ, ㄴ, ㄷ, ㄹ, ㅁ, ㅂ, ㅇ'만 발음된다는 규칙이 있어요. 여기 7개의 자음에 없는 'ㅅ, ㅈ, ㅊ'이 받침으로 오면, 'ㄷ'으로 소리가 나요! '몇 일'은 'ㅊ'받침이라, 'ㄷ'으로 소리가 나서 [며딜/며닐]이라 발음이 되어야 해요. 하지만, '며칠' 은 [며칠]로 발음되어서 '며칠'로 적어야 해요.

* '월'과 '일'을 물어볼 때는 '몇'을 사용하고, '요일'을 물어볼 때는 '무슨'을 사용해야 해요!
  → 오늘 몇 월, 며칠, 무슨 요일이야?
  ↳ 오늘은 4월 26일 금요일이야.

Q. 오늘 (**몇** / **무슨**) 요일이야?
Q. 너 유학을 (**몇** / **무슨**) 월에 간다고 했지?

정답 무슨, 몇

확장문

벌써 12월이네...

그러게 1년 참 **빠르다**.

이번 크리스마스에 약속있어?

나야 **당연히** 여자친구랑 **보내야지**.

맞다. 너 커플이지.
여자친구랑 며칠 됐어?

이번 크리스마스가 100일이야!

부러우면 지는 건데 부럽네.

여소라도 시켜줘?

단어

벌써	已经
빠르다	快
당연히	当然
보내다	一起过
부러우면 지는 거다	羡慕嫉妒恨
여소	介绍，相亲

꿀팁

Q. 크리스마스에 어디 가지?

A. 매년 전국 각지에서는 크리스마스를 맞이하여 축제를 열어! 그중에서도 추천하는 크리스마스 축제는 바로 "롯데월드 미라클 윈터"야. 한 편의 동화 같은 크리스마스를 원한다면 가보면 좋을 것 같아. 또 부산에서 열리는 "광복로 겨울빛 트리 축제"가 있어. 빛나는 트리를 보며 크리스마스 분위기를 느끼고 싶다면 추천할게! 마지막 추천 축제는 광화문에서 열리는 "서울 빛초롱 축제"야 광화문 마켓과 푸드트럭, 예쁜 트리와 조형물 등 연말 분위기를 물씬 느낄 수 있는 축제기 때문에 꼭 한 번 가보는 걸 추천해! 추천한 재미있는 크리스마스 축제를 통해 따뜻하고 행복한 연말 보내기를 바랄게!

응용문

혹시, 너 남자친구 생겼어
헐... 어떻게 알았어?
어쩐지 요즘 행복해 보이더라~
티 났나..?
한창 좋을 때라...
남자친구랑 ( )됐어?
( ) 100( )이야!
벌써 모레 당연히
며칠 일

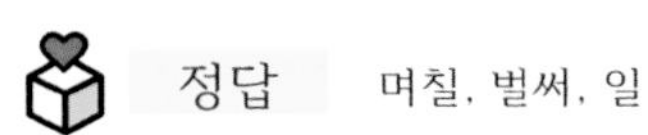
정답 며칠, 벌써, 일

EP
12

너 어제 달렸어?

你昨天打通宵了吗？

이야기 12

너 어제 달렸어?

你昨天通宵喝酒了吗？

응… 새벽 4시까지 달렸더니,
죽을 것 같아.

对。喝酒喝到凌晨4点，
现在感觉要死了。

단어

어제 昨天

달리다 (밤새다) 通宵

새벽 凌晨

까지 到

문법

-더니

'-더니'는 자신이 듣거나 경험한 내용이 어떠한 사실의 이유나 원인, 조건이 된다는 것을 나타내요! 주어에 자신이 올 경우 '-었더니'를 쓰고, '나' 이외의 사람이 올 경우 '-더니'를 써요. 의미를 강조하기 위해서 '-더니마는', '-더니만'을 사용하기도 해요.

ex) 아까 급하게 먹었더니 체했나 봐. (1인칭)
너 어제 늦게 자더니 지각했구나! (2인칭)
저 사람 말을 잘한다 했더니 한국어문학과 학생이었네. (3인칭)

Q. 시험 기간에 놀 (**-었더니 / -더니**), 시험 망쳤구나?
Q. 어제 잠을 한 시간도 못 자 (**-었더니 / -더니**) 너무 피곤해요.
Q. 요즘 공부 열심히 하 (**-었더니 / -더니**) 만 점 받았네! 축하해~

정답 -었더니 / -었더니 / -더니

확장문

괜찮아? 너 **표정**이 안 좋아 **보여**.

아, 어제 술을 마셨더니,
속이 좀 안 좋네.

너 어제 달렸어?

응... 새벽 4시까지 달렸더니,
죽을 것 같아.

아이고. **해장**은 했어?

아니 아직. 해장하러 갈까?
나 지금 해장이 완전 필요해.

학교 앞에 **국밥** 집이 생겼다는데,
한번 가볼까?

좋아! 역시 해장은 국밥이지~

단어

표정	表情
보이다	看起来
속보이다	肚子
아이고	哎哟
해장	醒酒
아직	还
필요하다	需要，要
국밥	汤饭（=泡饭）

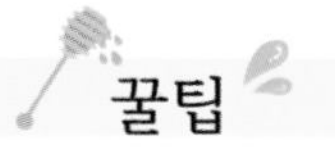

꿀팁

Q. 해장에는 뜨끈뜨끈 국물이 최고야

A. 한국에서는 술을 많이 마신 후에, 뜨끈한 국물로 해장을 하는 문화가 있어. 주로 국밥을 많이 먹는데, 그 종류에는 콩나물국밥, 돼지국밥, 순대국밥 등이 있어. 국과 밥을 같이 먹음으로써 해장과 든든함을 챙기는 일석이조 해장법이야!

응용문

아, 어제 달렸더니,
(   )이 좀 안 좋네.
(   )은 했어?
아니, (   ) 안 했어.
어제 해놓은 콩나물국 있는데,
그것 좀 줄까?
속이 안 좋아서 그런지 아무것도 안 땡겨.
누워서 쉬는 거 어때?
아직 해장 새벽
표정 속

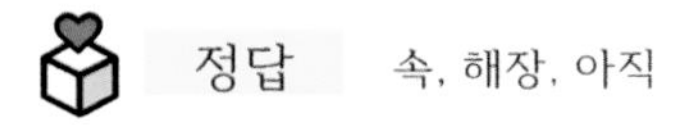

정답 속, 해장, 아직

EP
13

오늘 밥약 있어?

今天有饭局吗?

이야기 13

오늘 **밥약** 있어?

今天有饭局吗?

응, 나 **아는 선배랑 같이**
밥 먹기로 했어!

嗯，有。我要和认识的学长一起吃饭！

단어

밥약　饭局 (=饭约)

알다　认识

-랑　和，跟

같이　一起

문법

-기로 하다

'-기로 하다'는 어떤 일을 할 것을 결심하거나 약속함을 나타내요! 동사나 형용사와 함께 쓰여요! '-기로 하다'에서 '하다'의 자리에는 '결심하다'와 '약속하다'가 바꾸어 나올 수 있어요. '결심하다'는 할 일에 대해 스스로 '어떻게 해야지!'하고 마음을 굳게 정했을 때 사용해요. '약속하다'는 다른 사람과 할 일에 대해 '어떻게 하자!'하고 미리 정했을 때 사용해요!

ex) 이따가 친구 만나기로 했어.
건강을 위해 술을 끊기로 했어.

Q. '했어' 대신에 넣을 수 있는 단어에 동그라미를 쳐 보세요!
- 나는 영어 공부를 열심히 하기로 했어.　**결심했어 / 약속했어**
- 수경이는 가족이랑 제주도에 가기로 했어.　**결심했어 / 약속했어**
- 카페에서 친구와 조별 과제를 하기로 했어.　**결심했어 / 약속했어**

정답　결심했어, 약속했어, 약속했어

확장문

너 오늘 밥약 있어?

헉, 나 오늘 민서 선배랑 같이
밥 먹기로 했어!

대박, 너 민서 선배랑 어떻게 알게 된 거야?

나 **복전** 수업에서 **만났어**!

좋겠다. 그 선배 엄청 **다정하고**, 멋지잖아

너도 선배한테 **연락해** 봐!
아마 좋아하실 거야.

정말? **부담스러워하진** 않겠지?

당연하지! 먼저 만나자고 하실걸?

단어

만나다	跟 见面
대박	太棒了好牛啊！
복전	第二专业
다정하다	细心体贴
연락하다	给 联系
아마	也许, 可能
부담스럽다 (=부담을 느끼다)	感到负担

꿀팁

Q. 새내기라면 "밥약" 한 번쯤은 잡아봐!

A. 밥약이라는 단어를 들으면 Rice medicine을 떠올리거나, 밥이랑 약이 무슨 연관성이 있는지 궁금했던 적이 있었을 거야. 밥약은 밥 약속의 줄임말로 선배와 후배가 서로 친해지기 위해서 선배가 밥을 사주거나, 식사 약속을 잡는 것을 의미해!
새내기라면, 밥약을 통해서 선배와 친해지는 기회를 잡아보는 게 어때?!

응용문

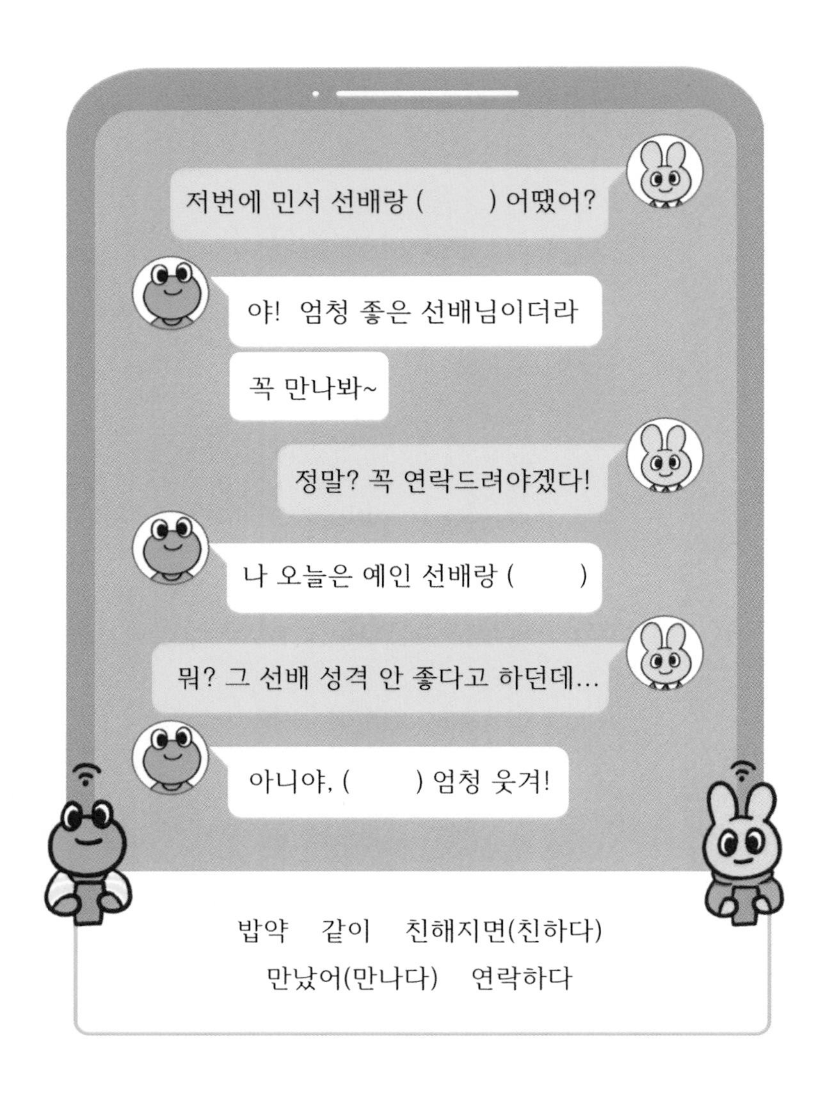

밥약　같이　친해지면(친하다)

만났어(만나다)　연락하다

정답 밥약, 만났어, 친해지면

EP
14

나랑 밥 먹으러 갈래?

要不要我一起去吃饭吗？

이야기 14

나랑 **밥 먹으러** 갈래?

要不要我一起去吃饭？

그래 **좋아**!

嗯，有。我要和认识的学长一起吃饭！

단어

밥 饭

먹다 吃

좋다 好

문법

-(으)러

'-(으)러'는 어느 곳으로 가거나, 오는 동작의 목적을 나타내요!
앞에 오는 동사의 받침이 있으면 '-으러'! 받침이 없으면 '-러'라고 사용해요.
비슷한 단어로는 '-(으)려고'가 있어요! '-(으)려고'는 더 다양한 행위의 목적을 나타낼 때 쓰여요. '-(으)러'는 주로 '장소로 이동'하는 목적을 나타낼 때 쓰여요!

ex) 수업 끝나고, 나랑 놀러 갈래? (받침 있을 때)
예인이는 공부하러 도서관에 갔다. (받침 없을 때)
점심을 먹으러 편의점에 가요. (이동의 목적)
점심을 먹으려고 친구랑 만났어요. (행위의 목적)

Q. 공원으로 자전거 타 (**-으러 / -러**) 갈래?
Q. 맛있는 거 먹 (**-으러 / -러**) 점심도 굶었어요.

정답 -러, -으러

확장문

강의 끝나고, 나랑 같이 밥 먹으러 갈래?

그래 좋아! 뭐 먹으러 갈까?

학식 먹을까?

나 어제도 **학식 먹었어**.

음, 그럼 학교 **앞 분식점**은 어때?

거기 맛있어? 나 **한 번도** 안 가봤어.

진짜 맛있어!
이번에 떡볶이 **신메뉴 나왔다던데**, 가볼래?

정말? 좋아!
한번 **도전해봐야겠다**.

단어

-도	也
학식	学食（=学校伙食）
앞	前
분식점	小吃店
한 번도	从来没~过
맛있다	好吃
신메뉴가 나오다	推出了新菜品
도전하다	挑战，尝试

꿀팁

Q. 요즘 MZ세대에는 약과가 유행이래요.

A. 최근 인절미, 흑임자 등 할매 입맛이 유행하면서 약과는 인기 디저트가 되었어. 그 결과, 약과 음료, 약과 쿠키 등 여러 가지 신메뉴가 출시되고 있지! 한국의 전통 디저트인 약과의 변신이 궁금하다면, 한 번 도전해봐! :)

응용문

* 아샷추: 아이스티에 에스프레소 샷을 추가한 음료

정답 분식점, 신메뉴, 맛있어

EP
15

두 정거장 남았어.

我还有两站。

이야기 15

얼마나 걸려?
나 **배고파서 기절할** 거 같아.

需要多长时间？我饿得要晕过去了。

나 두 **정거장 남았어**.

我还剩下两站。

단어

배고프다　　饿

기절하다　　晕过去

정거장　　站

남다　　剩下

문법

-는 것 같다

-는 것 같다'는 주로 막연하게 생각하거나, 자기 생각이라는 것을 전제로 추측함을 나타내요! 그래서 '왠지'라는 부사와 함께 쓰일 수 있어요.
(* '왠지'는 '왜인지'가 줄어든 말로, '왜 그런지 모르게' 라는 뜻이에요.)

ex) 밖에 너무 추울 것 같다.
왠지 저 선배가 너를 좋아하는 것 같아. 비슷한 단어로는 '-을 것이다'가 있어요. 앞에 오는 동사나 형용사의 받침이 있으면, '-을 것이다'!
받침이 없으면, '-ㄹ 것이다'를 사용해요! 친구한테 말할 때는 '-을 거야',
'-ㄹ거야'로 바꾸어 주면되겠죠?

Q. 나는 마라탕 먹 (**-을 거야 / -ㄹ 거야**) (먹다)
Q. 다음 주까지 과제를 끝내 (**-을 거야 / -ㄹ 거야**) (끝내다)

정답　-을 거야, -ㄹ 거야

확장문

얼마나 걸려?
나 배고파서 기절할 거 같아.

나 두 정거장 남았어.
내가 **늦었으니까** 점심 **쏠게**.

앗싸! **비싼** 거 먹어야지~

먹고 싶은 음식 있어?

음, 오늘은 마라샹궈 **땡긴다**!

매운 거 잘 먹어?
근처에 **줄 서서** 먹는 마라샹궈 **맛집** 있어!

너무 좋지. 꿔바로우도 시키자!

좋다. 나 이제 내린다! 조금만 기다려.

단어

늦다	迟到
쏘다	请客
비싸다	贵
땡기다	想吃
맵다	辣
근처	附近
맛집	美食店
줄서다	排队

꿀팁

Q. 탕!탕!탕! 오늘은 제가 쏘겠습니다!

A. "쏘다"는 보통 "총을 쏜다"라는 의미로 사용이 되는데, "남에게 음식이나 물건 등을 모두 결제한다", 즉 "한턱(을) 쏘다"라는 의미로도 사용이 되고 있어. 기분이 좋다면, "오늘은 내가 쏠게!"라는 말을 해보는 것도 좋은 사용법이야!

응용문

 정답 정거장, 근처에, 배고파

EP 16

나 오늘 머리하러 가.

我今天去做头发。

이야기 16

오늘 알바 끝나고 뭐해?

今天打工结束后干什么呢？

나 오늘 **머리하러 가.**

我今天要去美发店。

단어

오늘 今天

알바 打工

끝나다 结束

머리하러 가다
(= 미용실 가다) 去美发店

문법

-고

'-고'는 앞의 내용과 뒤의 내용이 시간의 순서대로 일어남을 나타내요! 비슷한 단어로는 '-고서'와 '-고 나서'가 있어요. '-고서'를 사용하면, '-고'보다 강조하는 느낌이 들어요! '-고 나서'는 앞의 내용이 끝나고 나서, 뒤의 내용이 이어진다는 것을 강조할 때 사용해요.
대화할 때는 '고'의 발음이 '구'로 바꾸어 말하기도 해요!

ex) 여자친구는 선물을 받고 좋아했다.
밥 먹구 공부하자! / 시험 공부하구 놀아야지~

Q. 빈칸에 어떤 동사나, 형용사가 와야 할까요? 시간의 순서대로 연결해 보세요!

- ___고, ___어. **① 밥을 먹 ② 배가 불렀**
- ___고, ___어. **① 전화를 받으러 나갔 ② 전화벨이 울리**

정답 ① ② / ② ①

확장문

오늘 알바 끝나고 뭐해?

나 오늘 머리하러 가!

오! 뭐 하려고?

파마가 안 어울리는 것 같아서,
매직 각이야.

너랑 잘 **어울리겠다**!
미용실 어디로 갈 거야?

잠실에 맨날 가는 **미용실** 있어.
나 거기 **단골**이거든.

나도 매직해야 하는데! 거기 괜찮아?

응! **미용사**분이 엄청 친절하시고,
실력도 좋으셔!

단어

파마	烫发
매직	离子烫, 拉直
어울리다	适合
미용실	美发店，美容院
맨날	常
단골	老顾客
미용사	美容师
실력	手艺

꿀팁

Q. 이것만 알면 너도 인싸 "각"이야~

A. 한국 대학생들은 "재수강 각이야", "휴학 각이야"처럼 어떤 행동에 대한 확신의 의미를 더하기 위해 "각"이라는 의존명사를 자주 사용해! 많은 대학생들이 수시로 사용하는 용어이니, 알아두면 너도 인싸 대학생이 될 수 있어!

응용문

정답 미용실, 파마, 알바

EP
17

여기 현금결제 돼요?

这里可以付现金吗？

이야기 17

고객님 지금 **결제**하시겠어요?

顾客，您现在要结账吗？

네. 여기 **현금**결제 **가능해요**?

是的。这里可以付现金吗？

단어

고객님　顾客

결제　结账，付钱

현금　现金

가능하다　可以

문법

님

명사의 뒤에 붙는 '님'은 그 사람을 높여서 부르는 말이에요. 비슷한 단어로는 '씨'가 있어요. 하지만, '님'은 '씨'보다 높임을 나타내요. 특히, 자신보다 나이가 많은 사람에게는 '님'을 붙여서 말해야 해요! 한국 대학생들은 어색한 상황이거나, 서로 잘 모르는 상황일 때도 자주 사용해요!
특히, '팀플(조별 과제)'을 하거나, 인사해야 할 때 사용한답니다!

Q. (병원에서) 김현진 (**님** / **씨**) 1번 진료실로 들어오세요.
Q. 수경 (**님** / **씨**)! 오늘 정리한 내용 단톡으로 보내줘.
Q. 딸기주스 주문하신 예인 (**님** / **씨**), 음료 나왔습니다.
Q. 민서 (**님** / **씨**) 은/는 학과가 어떻게 되세요?

정답　님, 씨, 님, 님

확장문

어서오세요. 까꼬 미용실입니다.
예약하신 성함을 알려주세요.

네. 구리로 예약했습니다.

구리 고객님 **원하시는** 스타일이 있나요?

지금보다 더 **짧은 단발**로 **자르고** 싶어요.

원하시는 머리 **길이**도 있나요?

머리 길이는 턱 **밑**까지 잘라주세요.

고객님 지금 결제하시겠어요?

네 현금결제 가능해요?

단어

예약하다	预定，订
성함	姓名
원하다	要
짧다	短
단발	短发
자르다	剪
길이	长短，发长
밑	底下

꿀팁

Q. 모바일로 결제하면, 할인에 적립까지??

A. 한국에 있는 가게를 가보면, 모바일 결제 시 할인 혹은 적립이 된다는 문구를 본 적이 있을 거야! 삼성페이, 네이버페이, 카카오페이 등 여러 모바일 결제 시스템을 이용하면, 할인이나 적립과 같은 혜택을 받을 수 있으니 꼭 확인해 봐!

응용문

정답 예약, 원하시는, 현금결제

EP
18

와이파이 비번이 뭐예요?

WIFI密码是多少？

이야기 18

사장님,
혹시 와이파이 **비번**이 뭐예요?

老板，请问这里WIFI密码是多少？

영수증 아래에 적혀 있습니다.

就在收据下面写着。

단어

사장님 老板

비번 密码

영수증 收据

문법

-습니다

'-습니다'는 공식적인 자리에서 말하는 사람이 듣는 사람에게 예의 바르게 설명하여 알릴 때 사용해요. 앞에 오는 동사나 형용사의 받침이 있으면, '-습니다!' 받침이 없으면 '-ㅂ니다'라고 해요!
만약, 앞에 오는 단어가 '명사'일 경우, '-입니다'를 사용해요.

ex) (동사) 오늘은 수업을 일찍 마칩니다. (마치다)
(형용사) 저는 로맨스 영화를 좋아합니다.
저는 로맨스 영화가 좋습니다. (좋아하다)
(명사) 이건 제가 쓴 글입니다. (글)

Q. 저는 학교에 갈 때, 노래를 듣 (**-습니다 / -ㅂ니다 / 입니다**).
Q. 아직 다 완성이 안 되어서 비밀 (**-습니다 / -ㅂ니다 / 입니다**).
Q. 기분이 안 좋을 때는 춤을 추 (**-습니다 / -ㅂ니다 / 입니다**).

정답 -습니다, 입니다, -ㅂ니다

확장문

어서오세요. 손님 주문 도와드리겠습니다.

네. **따뜻한** 우유 한 **잔**이랑
케이크 한 **조각** 주세요.

케이크는 딸기와 초코 중
어떤 걸로 드릴까요?

초코케이크로 주세요.
그리고 주스 한 **병**도 주세요.

네. **포장**하시나요?
아니면 드시고 가시나요?

가게에서 먹고 갈게요.
혹시 와이파이 비번이 뭐예요?

영수증 아래에 적혀 있습니다.

감사합니다.

단어

어서오세요	欢迎光临
손님	客人
~을 주문하다	要点什么
도와드리다	帮（您）
따뜻하다	热
조각, 잔, 병	块，杯，瓶
포장	打包， 带走
가게	小店

꿀팁

Q. 한국은 와이파이 강국!?

A. 한국에서 길을 걷다 보면, 갑자기 와이파이에 연결되었던 경험 있지? 한국에서 와이파이는 속도뿐만 아니라 어디서든 사용할 수 있다는 게 장점이야. 심지어 지하철, 버스에서도 와이파이가 있기 때문에 대중교통을 오래 이용하는 사람에게 혜택이 주어진다고 할 수 있지!

응용문

 정답 주문, 따뜻한, 조각

EP
19

여기 전세 냈나보다.

好像他们在这里包场了吧。

이야기 19

저 사람들은 아까부터
계속 시끄럽네.

那些人一开始就一直很吵。

그러게. 여기 **전세** 냈나보다.

是啊。好像他们在这里包场了吧。

단어

아까	刚才
부터	从 ~ (开始)
시끄럽다	吵
전세	包场

문법

-나 보다

'-나/은가 보다'는 어떠한 사실에 대해 인정하고, 객관적(客观的)으로 생각하는 것을 나타내요!
객관적으로 생각하는 것을 나타내므로 주어 자리에 '나, 우리' 등이 나오면 어색해요. 단, 자신에 대해 몰랐던 것을 이야기하는 경우에는 어색하지 않아요! 앞에 오는 단어가 동사면 '-나 보다'를 사용해요. 비슷한 표현으로는 '-은/는가 보다'가 있어요. 앞에 오는 형용사의 받침이 있으면, '-은가 보다'! 받침이 없으면 '-ㄴ가 보다'를 사용해요!

Q. 퇴근 시간이라 길이 막히 (**-은가 보다 / -ㄴ가 보다 / -나 보다**)
Q. 매운 떡볶이를 좋아하 (**-은가 보다 / -ㄴ가 보다 / -나 보다**)
Q. 수경이와 자연이가 친하 (**-은가 보다 / -ㄴ가 보다 / -나 보다**)

정답 -나 보다, -나 보다, -ㄴ가 보다

확장문

왠지 집중이 잘 안되네.

저 사람들 때문인가?
아까부터 계속 시끄러워.

그러게, 여기 전세 냈나.

여기는 **토론하는** 곳이 아닌데...

가서 직원한테 얘기할까?

그래. 얘기하러 가는 김에
나가서 **바람 쐬자**.

난방하느라 **환기**가 안 돼서 그런가 봐.
좀 **답답하네**

그런 것 같아. 너무 **후덥지근해**.

단어

왠지	不知为什么（=不知怎么也）
집중하다	集中
토론하다	讨论
바람 쐬다	着风，兜兜风
난방	供暖, 暖气
환기	换气
답답하다	闷得慌
후덥지근하다	有些闷热（=闷气）

꿀팁

Q. 돈 안 내고 전세 내기

A. 한국에서 집 구할 때 월세, 전세 등의 단어를 많이 들어봤을 거야.
그런데 "전세(를) 내다."라는 말이 다른 뜻으로도 쓰여. 다른 사람들과 같이 사용하는 공간이나 물품을 본인의 것처럼 쓰면, 너 여기 혹은 이거 전세 냈어? 라고 말하곤 해!

응용문

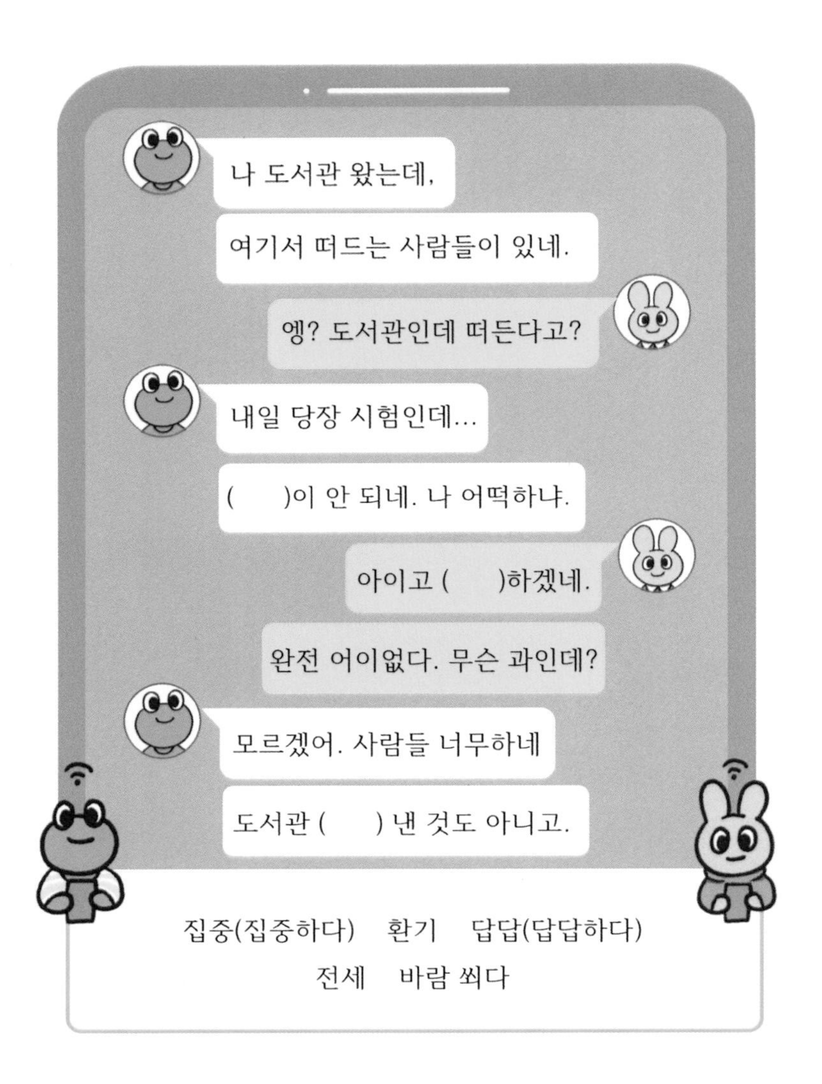

정답 집중, 답답, 전세

EP
20

주량이 어떻게 돼?

酒量怎么样？

이야기 20

혹시 **주량**이 어떻게 돼?

请问你的酒量多少？

취한 적이 없어서 잘 **모르겠어요**.

我没喝醉过，所以不知道。

단어

주량 酒量

취하다 喝醉

적 ~过

모르다 不知道

문법

되어

학생들이 자주 헷갈리는 '돼'와 '되'! 비슷하게 생겨서 헷갈리기 쉬운데요! '돼'는 '되어'가 줄어든 말이에요! 헷갈리는 표현에 '되어'를 넣어보고 말이 된다면 '돼'를, 어딘가 어색하다면 '되'가 맞아요! 그래서 '안 되어'는 '안 돼'로, '안 되었다'는 '안 됐다', '안 되어서'는 '안 돼서'로 써야 하는 거죠!
(그래도 헷갈린다면 '돼' 자리에 '해'를, '되' 자리에 '하'를 넣어서 발음해 보세요!)

ex) 이렇게 하면 (되/돼)잖아 → 이렇게 하면 되어잖아 (X) : 되
예의 없게 말하면 안 (되/돼)요. → 예의 없게 말하면 안 되어요. (O) : 돼

Q. '되/돼' 중 맞는 표현에 동그라미를 쳐 보세요!
- 드디어 시험에 합격이 (**되 / 돼**) 다.
- 수업 시간에 시끄럽게 하면 안 (**되 / 돼**).

정답 돼, 돼

확장문

안녕, 난 17학번이야.
처음 보는 얼굴이네.

아, 저는 23학번 토리입니다.
학과 행사나 **뒤풀이** 잘 **참여** 안 해서,
모르실 수도 있어요.

그래. 술 주량이 어떻게 돼?

소주는 못 마시고,
맥주는 한 병 정도 마십니다.

소주를 **아예** 못 마시니?
소맥 말아주려고 했는데.

소주는 냄새만 맡아도 취합니다.

그럼 좋아하는 안주는 있어?

땅콩 좋아합니다.

단어

처음	初次，第一次
학과	院系
행사	活动
뒤풀이	欢庆会（=欢庆活动）
참여	参与，参加
소맥	烧啤（=烧酒+啤酒）
냄새	气味
아예	根本

꿀팁

Q. 한국의 술을 소개해보아요!

A. "한국의 술"이라고 하면 어떤 술이 가장 먼저 떠올라? 보통은 "소주"를 가장 먼저 떠올리기 마련이야. 그런데 소주 말고, 한국의 전통을 담고 있는 술이 있어. 바로 막걸리가 그 주인공이야!
여러 가지 효능을 지닌 막걸리로 오늘 하루 달려볼래?

응용문

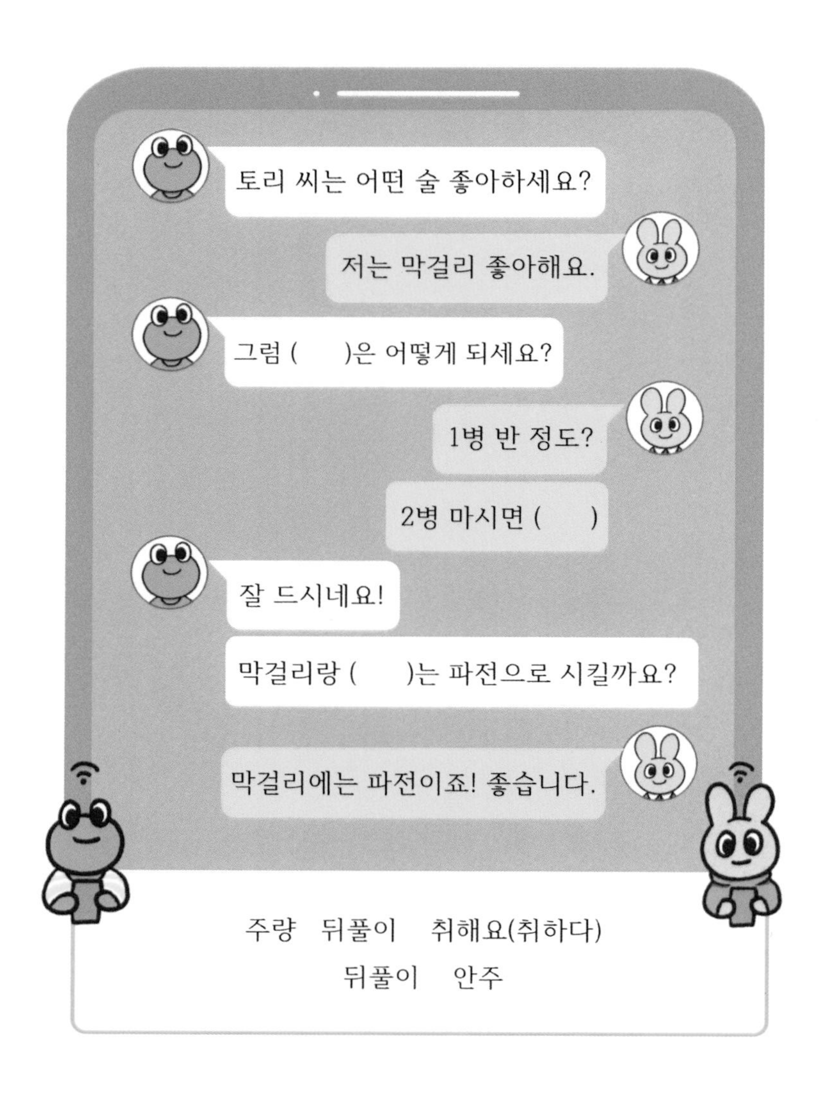

주량　뒤풀이　취해요(취하다)
뒤풀이　안주

정답 주량, 취해요, 안주

여기 저기 써먹는

단어 부록

단어

☐	MBTI 유형	MBTI 类型
☐	가게	小店
☐	가능하다	可以
☐	가방	书包
☐	감성적	感性的
☐	같다	觉得
☐	같이	一起
☐	개	个
☐	걱정하다	担心
☐	걸리다	需要
☐	결제	结账，付钱
☐	경험	经验
☐	고객님	顾客
☐	고민이다	苦恼
☐	고백	告白
☐	공강	没有课(=没有空)
☐	공지사항	公告
☐	공평하다	公平
☐	과대평가	评价过高
☐	과목	这门课
☐	과탑	院系第一(名)
☐	교훈	教训
☐	국밥	汤饭(=泡饭)
☐	굳이	非要
☐	그니까	就是啊
☐	그러면	那么
☐	근데	可是
☐	근처	附近
☐	금방	很快就
☐	기념	纪念
☐	기절하다	晕过去
☐	긴장하다	紧张
☐	길이	长短，发长
☐	까지	到

□	끝나다	结束
□	난방	供暖, 暖气
□	남다	有空的时候
□	남다	剩下
□	내일	明天
□	냄새	气味
□	놀다	玩
□	눈치채다	察觉到
□	늦다 (=지각하다)	迟到
□	늦다	来晚
□	다정하다	细心体贴
□	단골	老顾客
□	단발	短发
□	단톡	群聊
□	달리다	通宵
□	답답하다	闷得慌
□	당연하지	当然
□	당연히	当然
□	대박	太棒了 好牛啊！
□	대본	剧本
□	도	也
□	도와드리다	帮（您）
□	도전하다	挑战， 尝试
□	동아리	社团
□	뒤풀이	欢庆会 (=欢庆活动）
□	따뜻하다	热
□	땡기다	想吃
□	랑	和，跟
□	마찬가지	一样
□	마침	正好
□	만나다	见面
□	만나다	跟 (누구) 见面
□	말(을) 편하게 하다	（随便）=别客气，不要客气
□	맛있다	好吃

☐	맛집	美食店
☐	망치다	弄坏, 搞坏
☐	매직	离子烫, 拉直
☐	맨날	常
☐	맵다	辣
☐	머리하러 가다	去美发店
☐	먹다	吃
☐	몇	几
☐	모든	都
☐	모레	后天
☐	모르다	不知道
☐	무뚝뚝하다	冷冰冰
☐	무모하다	干嘛 / 冲动冒昧
☐	무조건	无条件
☐	뭐 했어?	做什么了?
☐	뭐?	什么？
☐	뭐야?	是什么？
☐	미용사	美容师
☐	미용실	美发店，美容院
☐	밑	底下
☐	바람쐬다	着风，兜兜风
☐	발표	发表
☐	밥약	饭局 (=饭约)
☐	밥	饭
☐	배고프다	饿
☐	벌써	已经
☐	병	瓶
☐	보내다	发给
☐	보내다	一起过
☐	보이다	看起来
☐	복전	第二专业
☐	부담스럽다	感到负担
☐	부러우면 지는 거다	羡慕嫉妒恨
☐	부럽다	羡慕

☐	잔	杯
☐	장난치다	开开玩笑
☐	재미없다	没意思，无聊
☐	재수강	重修
☐	저기요	喂
☐	적	~过
☐	전세	包场
☐	전필	必修课
☐	정거장	站
☐	정도	左右
☐	제	我（的）
☐	조각	块
☐	좋다	好
☐	좋아하다	喜欢
☐	주량	酒量
☐	주문하다	要点什么
☐	줄서다	排队

☐	진짜 필요해?	真的要吗？ 一定要吗？
☐	집중하다	集中
☐	짓	这个学期
☐	짧다	短
☐	참여	参与，参加
☐	처음	初次，第一次
☐	처참하다	惨
☐	출장	出差
☐	취하다	喝醉
☐	친구	朋友
☐	친하다	亲近，熟悉
☐	토론하다	讨论
☐	통학	上学
☐	팀플	小组活动
☐	파마	烫发
☐	평소	平时
☐	포장	打包，带走

☐	표정	表情
☐	피곤해서 죽을 것 같다	累死了
☐	필요하다	需要，要
☐	하(가)는 김에	顺便，趁
☐	하루종일	整天
☐	학과	院系
☐	학기	学期
☐	학번	学号（届）
☐	학식	学食 (=学校伙食）
☐	한 배를 타다	上了同一条船
☐	한 번도	从来没~过
☐	해장	醒酒
☐	해주다	给
☐	행사	活动
☐	헐	晕
☐	현금	现金
☐	혹시	请问
☐	환기	换气
☐	활동하다	活动
☐	후덥지근하다	有些闷热 (=闷气）
☐	휴강	停课
☐	휴학하다	休学
☐	힘내다	加油

'프로젝트'라는 단어가 그리 낯설지 않은 요즘. 여럿이 모여 몇 권의 '책'을 만들기로 했다. 일상 곳곳에서 맞닥뜨리는 지극히 익숙한 대상이지만, 줄곧 읽을 생각만 했지 정작 이를 만드는 일까지는 상상해 보지 못했던 터였다.

'가천'에서 '인문'으로 만난 이들. 처음부터 끝까지 기획, 집필, 편집, 디자인 모두 이들 손에 이루어졌다. 매년 이맘때면 이런 결과물이 앞자리 번호를 달고 하나둘 쌓이리라 기대한다. 시간을 거스르며 결국은 그 숫자들이 우리를 이어 줄 것이다.

짧지만 강렬했던 한 달이 지난 지금, 어느새 모두 책 한 권의 저자가 되었다.
첫 출판의 도전을 마치자마자 우리는 또 각자 새로운 이야기를 꿈꾼다.
그 출발을 함께할 수 있어 기쁘고 벅차다.

2020년 12월
'가천 인문 책 프로젝트'를 시작하며,
가천대학교 인문대학

'가천 인문 책 프로젝트' 시리즈

01 나도 모르게 먹히었다
- 김주민, 이하윤, 이예빈, 박용춘
02 스무 살은 무거워서 집에 두고 다녀요
- 백희원, 김창희, 한예지
03 배라도 든든하게, 글밥 한 끼.
- 김미경, 신성호, 정량량
04 쩝쩝박사
- 김준형, 이금라, 임세아, 한주희
05 가장 개인적인
- 김성일, 서윤희, 이노자예, 조윤희
06 의성이의 시끌벅적한 하루
- 김다영, 김연수, 손문옥, 임현중
07 밥통
- 허윤준, 이정선, 레 뚜안 안, 응웬 트렁키엔
08 성남에서의 가천-로그 (Gachon-log in Seongnam)
- 강진주, 구기언, 김목원, 김선우, 김솔, 노주영, 문준수, 문창환, 박도이, 백다은, 소힙존, 신기문, 신지수, 오영은, 윤상연, 윤우석, 이가연, 이승렬, 이영주, 이종희, 임동현, 정다현, 정주영, 정진미, 최선호, 치트러카준, 현재호, 정선주
09 서툴러도, 사랑해
- 권지은, 김은서, 김주영, 이하늘
10 전지적 도로시 시점
- 이윤선, 심보영, 이승유, 김가빈
11 카페인과 수면제 사이
- 김준호, 이윤수
12 비록 파라다이스는 아닐지라도
- 송윤서, 이예솜
13 커피 칸타타, 한낮에 꾸는 꿈
- 김유진, 신현기, 최수빈

27 노선 밖의 이야기

- 김지수, 박소연, 이효진, 지은결, 천지영

28 나의 튜토리얼 회고록

- 오소영, 이미현, 이혜람, 정유리, 천성혁

29 각자의 새벽 속에서

- 강중현, 강태경, 김연유, 안주현, 황민지

30 3월 여름밤의 낙엽은 폭설이다

- 김민선, 김현정, 남궁설, 서민지

31 파도타기

- 김정현, 김혜정, 박경아, 양혜인

32 여기저기 써먹는 일상 한국어 (중국어ver)

- 권자연, 김현진, 조수경, 채예인, 황민서

33 마왕에게 꼭 필요한 조언 모음집

- 김동현

34 프랑스 문화 올림픽

- 김의나, 김종현, 김하진, 남치원, 박채연, 성윤지, 신동훈, 신승연, 양기성, 양현진, 이재형, 이주아, 정승아, 지창훈, 진희원, 허수정

35 중국, 넌 어떻게 생각해? : 중국인 인식 개선 프로젝트

- 김다희, 윤태민, 최하늘

36 Travel Bible: For Chinese Student at Gachon University

- 곽민정, 김예림, 김예신

37 즐겨찾기 서울: 한 권으로 보는 서울 핫 플레이스

- 양다연, 유혜린, 이나현

14 늙은 왕자

- 양혜원, 조소빈, 차소윤, 최민영

15 추억 발자국

- 김가윤, 손수민, 이창규, 정다연

16 탈피

- 김선아

17 찾았다, 프랑스! - MZ세대가 바라보는 프랑스-한국

- 강다솜, 김유경, 안미르, 이유정

18 나의 길 2022

- 홍채린, 김수민, 이예원, 김연재, 김현수, 방극현, 이유선, 임영재, 이다원,배효정, 정유나, 안소연, 오현택, 김민주, 권라혜, 장상구, 최민수, 김해진,신정민, 최수인, 장미리, 조성은, 배지은, 임형준, 정슬아, 정지윤, 송인동,최대원, 김유화, 이상현, 이상훈, 권사랑, 이은지, 임정식, 이만식

19 REALTY for REAL (진짜들을 위한 부동산) 가천대 영어교재 시리즈-01]

- 방극현, 최대원, 송인동, 임형준

20 팝송 가사 실전에 써먹기(Popping expressions in Pop songs)
가천대 영어교재 시리즈-02]

- 배효정, 권라혜, 신정민, 이다원, 임영재, 최수인, 정슬아

21 Dumbo와 함께 말해요 가천대 영어교재 시리즈-03]

- 김민주, 권라혜, 안소연, 정유나

22 동화로 시작하는 영어공부 가천대 영어교재 시리즈-04]

- 장미리, 권사랑, 배효정, 신정민, 이다원, 이유선, 조성은, 홍채린

23 별들의 놀이터(Playground of the Stars) 가천대 영어교재 시리즈-05]

- 송인동, 김민주, 김수민, 김연재, 김유화, 이예원, 정유나

24 전치사가 누구야? 대단한 품사지~ 가천대 영어교재 시리즈-06]

- 김현수, 배지은, 오현택, 이상훈, 임정식, 최민수

25 누구나 영어로 말할 수 있다 가천대 영어교재 시리즈-07]

- 이은지, 정슬아, 최수인, 최민수, 장상구, 안소연, 권라혜, 오현택, 조성은, 정지윤

26 TRENDER: 젊음의 시각으로 시대를 읽다

- 강영흠, 김동환, 김시현, 김지윤, 이가현, 정준영

여기저기 써먹는 일상 한국어(중국어ver)

발 행 | 2024년 1월 2일
저 자 | 권자연, 김현진, 조수경, 채예인, 황민서
그 림 | 박서연, 박초희
펴낸이 | 한건희
펴낸곳 | 주식회사 부크크
출판사등록 | 2014.07.15.(제2014-16호)
주 소 | 서울특별시 금천구 가산디지털1로 119 SK트윈타워 A동 305호
전 화 | 1670-8316
이메일 | info@bookk.co.kr

ISBN | 979-11-410-6351-1

www.bookk.co.kr